L'écol

du

Cécile Roumiguière

Claire Delvaux

MAGNARD

QUE D'HISTOIRES !

CE1

Ce roman est également publié
dans la collection « Tipik Cadet »,
animée par Jack Chaboud,
aux éditions Magnard Jeunesse.

« Que d'histoires ! » CE1, 2e série,
animée par Françoise Guillaumond

5, allée de la 2e DB
75015 Paris
www.magnard.fr

Loi n° 49-956 du 16-07-1949 sur les publications destinées à la jeunesse.

chapitre 1

Du bout du doigt, Noura creuse le sable, elle dessine une maison aux fenêtres ouvertes.

Là, il y a la classe de Sami et là, il y aura la sienne, à la rentrée. Elle soupire en regardant la route vers Oum Jrane, la ville voisine : il faut marcher jusque là-bas pour aller à l'école.

Noura aime bien suivre son frère des yeux jusqu'à ce qu'il disparaisse sur la route de sable et de cailloux, son cartable sur le dos.

Mais maintenant, Sami est en vacances, il ne va pas à l'école.

En septembre, ils partiront ensemble, tous les matins. Elle portera le tablier bleu des écolières et elle aura son cartable à elle.

En attendant, Noura a trop chaud, elle n'a même pas envie d'aller jouer dans la rue. L'été est la saison la plus dure au village, il n'y a pas d'eau pour se rafraîchir, pas d'électricité pour veiller aux heures les moins chaudes, le vent est brûlant et le sol se fendille sous les pieds.

Noura préfère quand même rester ici, avec Sami.

L'année dernière, ils ont été séparés. Elle a passé l'été chez l'oncle Mohammed. Il fabrique des babouches à Ouarzazate, dans un quartier qui sent si mauvais que même le thé à la menthe pue le poisson pourri.

Quand sa femme est morte, l'an dernier, l'oncle Mohammed a eu besoin de quelqu'un pour aider ses filles à la maison. Les légumes à éplucher, la lessive à rincer, le beurre à fouetter, les tapis à épousseter, Noura travaillait dur, bien plus dur que chez elle.

Un jour, en revenant du marché avec un panier trop lourd, elle est tombée assise par terre et a pleuré de fatigue. Il y avait trop de bruit autour d'elle, la tête lui tournait. L'oncle Mohammed lui a montré du doigt une femme couverte d'une djellaba pleine de poussière. Sous son voile noir très sale, son regard était si triste qu'on aurait dit qu'elle n'avait plus que deux trous à la place des yeux.

« Tu vois, ma fille, a proféré l'oncle Mohammed, les feignantes comme toi, personne n'en veut. Elles finissent à la rue, comme des pauvresses ! »

Non, Noura n'y retournera pas. Son oncle est trop méchant et Ouarzazate est trop bruyante.

Elle préfère rester au village et aider Bahia, sa mère. Elle s'occupe d'Amel, sa petite sœur qui est encore un bébé, elle prépare le bois pour le feu et la menthe pour le thé.

Parfois, elle porte des légumes à Mamillia, la voisine aux yeux couleur d'eau, qui est trop vieille maintenant pour aller jardiner mais qui connaît de si belles histoires !

Dès qu'elle a un moment, Noura court rejoindre Sami qui garde le troupeau sous les palmiers. Ils se sont construit une cabane de branches entre les arbres.

Les enfants du village viennent souvent les rejoindre dans leur noua-wala[1]. Ils s'amusent, ils crient, se poursuivent, se cachent dans les buissons ou entre les pattes des bêtes. Ils jouent de la flûte et tapent dans leurs mains. Les femmes du village disent qu'ils font tourner le lait des chèvres, mais les enfants savent bien que ce ne sont que des mots pour rire.

Quand Sami et Noura sont seuls, Noura chante des chansons pour distraire son frère. Ils se racontent d'interminables histoires de génies et de trésors cachés.

Noura sourit déjà à l'idée de tout ce qu'ils feront ensemble à l'école. Sami lui a expliqué les leçons de mathématiques et d'écriture. Il lui a appris à compter jusqu'à dix. En traçant de son doigt un sillon dans le sable, il lui a montré son prénom : « Noura ».

Elle aussi, elle apprendra à écrire, à lire et à compter.

Un jour, elle a vu son père soigner la patte cassée d'une chèvre et elle a pensé que le plus beau des métiers était celui qui donne le pouvoir de guérir. Ce jour-là, elle a décidé qu'elle serait médecin.

chapitre 2

« Noura ! Noura, vient m'aider ! »

Sa mère l'appelle. Noura crache le brin d'herbe sèche qu'elle suçait et court la rejoindre. Sa petite sœur dort dans son berceau. La maison aux murs blancs est calme, pleine de l'odeur du pain tout juste sorti du four. Sa mère prépare la soupe du soir, Noura se met à égrener la semoule en chantonnant. Sa mère la regarde, les yeux noircis de tristesse. Elle soupire.

« Noura, ma fille, j'ai parlé avec ton père. On n'y arrive pas... Cette année, les troupeaux n'ont presque rien rapporté. Alors, les crayons, les cahiers, le tablier... Et puis, tu es une fille, et l'école est si loin... »

Noura n'attend pas la fin de la phrase, elle a compris. Les larmes envahissent son nez, elle a du mal à respirer.

Sans prendre le temps d'essuyer ses mains pleines de semoule, elle court. Elle court, sans voir où elle va, sur un chemin qui ne mène nulle part. Sami est en train de fermer l'enclos du bétail. Il l'aperçoit et l'appelle :

« Noura ! Noura, attends-moi ! »

Mais Noura ne s'arrête pas. Des enfants qui jouent aux osselets au milieu de la rue la regardent se sauver :

« Noura, où tu vas ? »

Elle ne répond pas. Elle court. Moussa, son père, revient du jardin. Il arrive vers elle et l'attrape par le bras :

« Noura ? Qu'est-ce qui se passe ? Noura ! »

Tout le désespoir de Noura déborde dans un immense sanglot :

« Il faut que j'y aille, papa... Je veux aller à l'école. »

Son père la prend dans ses bras. Il ne dit rien. Il regarde loin devant lui, les yeux perdus sur l'horizon de sable. Il reste là un moment, sans répondre, et berce le chagrin de sa fille. Puis il passe sa main sur ses cheveux, lui relève le visage, l'embrasse sur les yeux noyés de larmes, et s'en va.

Sami arrive en courant, il regarde son père s'éloigner et sa sœur si lourde de malheur qu'elle s'est agenouillée sur le sable, la tête entre les mains. Il s'accroupit près d'elle et dit doucement :

« Noura ? Noura, qu'est-ce qu'il y a ? »

Alors, en pleurant plus fort qu'elle n'a jamais pleuré, même le jour où elle s'est brûlé la main en retirant le pot de lait du feu, Noura raconte à son frère qu'elle n'ira pas à l'école, qu'elle ne portera pas de tablier bleu à la rentrée, qu'ils sont trop pauvres.

Sami se relève, la colère brille dans ses yeux.

« Si tu n'y vas pas, je n'y retourne pas non plus.

— Oh si, Sami, tu iras ! Tu iras et tu me montreras tout ce que tu apprendras.

— Mais pourquoi j'irais, moi, et pas toi ? » explose Sami.

Noura baisse les yeux. Elle renifle et essuie son nez sur sa main. Des tas de grains de semoule se sont collés sur ses joues et ses cheveux, elle ne s'en aperçoit même pas. Après tout, elle est grande, maintenant, elle doit être raisonnable, c'est ce que disait toujours l'oncle Mohammed quand elle avait envie de jouer au lieu de nettoyer les tapis.

« Sami... Je suis une fille. Pour me marier, je n'ai pas besoin de savoir lire.

— Mais mariée, ce n'est pas un métier. Tu veux être médecin ! répond Sami.

— Oui... plus que tout au monde », souffle Noura. Et elle ajoute, d'une toute petite voix :

« En tout cas, je ne serai pas une pauvresse. »

Et elle pense que Sami a raison, pourquoi lui et pas elle ? Elle décide qu'elle ne nettoiera pas les tapis toute sa vie : elle ira à l'école et elle choisira son métier, elle trouvera un moyen.

chapitre 3

La nuit tombe sur le village. Le sable est moins chaud.

Tous les enfants du douar[1] sont venus voir ce qui se passe.

Ils n'aiment pas que Noura, qui est toujours si gaie, pleure si fort. Ils font un cercle autour de Noura et de Sami et n'osent rien dire pour ne pas rajouter de mots au chagrin. Ils savent tous que ne pas aller à l'école est un grand malheur.

1. Douar : village rural.

Sami prend sa sœur par la main et la relève. Il essuie ses joues, époussette ses cheveux. Elle sourit en voyant tomber les grains de blé. Oui, elle trouvera un moyen, son tablier bleu, elle l'aura.

Le soir, Moussa ne rentre pas. Noura se souvient du vide dans le regard de son père quand elle a pleuré dans ses bras. Et s'il croyait que c'était de sa faute à lui, le chagrin de sa fille ? S'il avait voulu emmener ce malheur sur ses épaules, loin, très loin du village ? S'il était parti pour toujours ?

Bahia porte Amel dans son dos, le bébé refuse de dormir. Bahia le berce en servant la soupe de semoule en silence. Sami et Noura voient bien qu'elle aussi est inquiète, mais elle ne dit rien. Pendant la nuit, Amel pleure sans s'arrêter.

Au matin, elle n'est plus qu'une boule ruisselante de larmes, pâle et fripée.

Bahia ne prend pas le temps de faire cuire le pain sur la pierre chaude, elle ne rallume pas les braises dans le four, elle court faire chercher le médecin. Il arrive sans tarder, il était justement en visite dans le village.

C'est la première fois qu'il entre dans la maison en l'absence de leur père. Noura a un pincement au cœur, mais elle ne dit rien.

Le docteur est gentil, Amel guérira vite, mais il lui faut des médicaments.

Après un déjeuner pris à toute vitesse, Sami part les acheter à Oum Jrane. Épuisée, Amel s'est enfin endormie. Bahia est allée au jardin ramasser les légumes secs pour le repas du soir. Noura reste dans la maison pleine de silence et elle n'aime pas ça.

Sami revient à l'heure du goûter. Quand sa mère rentre, Noura a déjà préparé le beurre et servi le thé à la menthe. Sami avale deux gorgées trop chaudes et repart, il doit s'occuper du troupeau.

Sur un croûton sec, Noura se prépare une tartine qu'elle trempe dans son verre fumant. Elle n'a pas très faim, mais l'odeur du beurre mouillé de thé à la menthe la rassure.

Bahia examine les boîtes de médicaments. Elle sort une plaquette de gélules, passe un doigt dessus, scrute encore l'emballage, le repose.

Noura la regarde faire, elle se lève et prend ses mains dans les siennes :

« Ce n'est pas grave, maman. Sami saura, lui. »

Bahia serre sa fille dans ses bras :

« C'est un malheur... ces signes qui dansent devant mes yeux et qui ne signifient rien ! Comme je voudrais que tu saches lire, toi... Sami pourra t'enseigner, le soir.

— À toi aussi, il t'apprendra ! On apprendra ensemble.

— Ce serait trop beau, Noura... Je n'ai pas le temps et je suis trop vieille... »

Noura sourit et efface un peu de noir qui a coulé sous les yeux de sa mère.

« Trop vieille ? Je crois plutôt que tu as peur.

— Peut-être, ma fille, peut-être...

— Et après, tu apprendras à Amel et à tous les enfants du village qui ne vont pas à l'école. »

Alors, Bahia sourit et fait une drôle de grimace :

« Tu crois que je pourrai ? »

Noura embrasse la main de sa mère.

« J'en suis sûre, maman. »

Amel se réveille, le soleil est haut dans le ciel, il y a encore beaucoup de travail à faire et Noura a une idée.

chapitre 4

Le soir, le père de Noura n'est toujours pas rentré, mais elle n'a pas vraiment le temps de s'inquiéter, elle prépare tout dans sa tête : mettre ses chaussures en toile sous son lit, avec son foulard pour se protéger du soleil, sa bourse en cuir et ses trois dirhams[1] d'économies, et aussi une gourde d'eau. Il lui faudrait un sac, ce serait plus pratique, elle ne sait pas combien de temps elle devra marcher.

1. Dirham : monnaie marocaine

Parce qu'elle a pris sa décision : demain, elle va à Oum Jrane voir la directrice de l'école et tout lui expliquer. Elle a bien pensé que c'était les vacances et que l'école pouvait être fermée, mais alors elle marchera jusqu'à Ouarzazate s'il le faut et elle cherchera le directeur de toutes les écoles. Quand Noura se couche, ce soir-là, son cœur bat un peu plus fort que d'habitude. Elle demanderait bien à Sami d'écrire un mot pour rassurer sa mère :
« Maman, je suis à Oum Jrane, je reviens vite. Signé : ta fille, Noura. »

Mais sa mère ne pourrait pas le lire. Et Sami dort déjà. Non, il vaut mieux ne rien dire à personne, même pas à Sami, il essaierait de l'empêcher. Elle a du mal à s'endormir. À travers la fenêtre sans volets, elle compte les étoiles jusqu'à dix. Après, elle invente des chiffres magiques pour se protéger.

chapitre 5

Le lendemain, sa mère la réveille : « Allez, grosse paresseuse, tout le monde est déjà levé ! »

Noura saute hors de son lit. Elle coiffe ses cheveux avec ses doigts, elle s'habille. Son père n'est pas rentré. Elle le voit dans les yeux de sa mère. Où a-t-il bien pu aller ? Son petit-déjeuner a du mal à passer. Comment prévenir sa mère qu'elle s'en va aussi ?

« Je vais au jardin. Tu gardes Amel, je reviens », dit Bahia en sortant.

Noura est paniquée. Si elle doit surveiller le bébé, elle ne peut pas partir. Elle enfile ses chaussures, ramasse ses affaires dans son foulard et le noue pour en faire un baluchon. Elle trépigne, elle est prête, mais elle ne peut pas laisser Amel toute seule.

Alors, elle prend le bébé dans ses bras, elle l'embrasse et sort.

Dans la rue, les enfants l'appellent :

« Noura, tu viens jouer ?

— Pas le temps, réplique Noura. J'ai le bébé. »

Et elle s'engouffre chez Mamillia, la voisine à la peau si plissée et au regard si clair.

« Je dois partir, Mamillia, dit Noura. Tu comprends, il faut que je règle cette histoire d'école, c'est important. Tu veux bien garder Amel pour moi ? »

Noura n'est pas sûre que Mamillia ait bien entendu ce qu'elle lui a dit, elle est de plus en plus sourde. Mais la vieille femme lui prend Amel des bras et lui sourit. Noura l'embrasse du bout des doigts et s'enfuit. Ne pas oublier de remplir la gourde au puits. Ne pas se faire remarquer, ne pas courir. Ralentir.

Quand Noura quitte le village, le soleil est presque au plus haut dans le ciel. Un long collier de sueur dégouline dans son dos.

Sami met moins d'une heure pour aller à Oum Jrane, ce n'est pas si loin. Noura sera rentrée avant le goûter. Pourvu qu'elle ne croise pas une vipère des sables ! Ses pieds commencent à s'échauffer contre la toile rêche. Noura s'arrête et boit un long trait d'eau. Elle s'essuie le visage avec son foulard, puis elle le noue autour de sa tête, cale sa bourse d'un côté de sa ceinture, sa gourde de l'autre, et repart. Il n'y a pas d'ombre le long de la route, ses talons lui font très mal, la toile brûle la peau, qui commence à cloquer. Ce n'est pas ce qui va arrêter Noura ! Quand elle sera docteur, elle inventera des chaussures refroidissantes pour marcher sur les sols trop chauds.

Un bruit de moteur la surprend. Une vieille voiture klaxonne deux fois et s'arrête près d'elle :

« Hé, toi ! Qu'est-ce que tu fais là, toute seule ? » dit un homme en passant sa tête par la fenêtre ouverte.

Son visage est si poussiéreux que Noura a du mal à reconnaître Salah, le plus jeune fils de Mamillia, celui qui est le malheur de sa mère parce qu'il ne sait pas quoi faire de sa vie.

« Mais c'est la petite Noura ! Où tu vas comme ça, sans ta maman ? » se moque le jeune homme.

Noura hausse les épaules. Elle continue d'avancer fièrement, sans se retourner, mais elle boite un peu maintenant.

Salah roule doucement en la suivant.

« Hé ! Noura... Il fait trop chaud pour marcher. Monte ! »

Noura le sait, il faut faire attention à qui on parle, mais Salah n'est pas n'importe qui, elle le connaît depuis qu'elle est née. Et ses talons commencent à saigner.

« D'accord, répond Noura. Mais je vais à Oum Jrane, à l'école. »

Pendant qu'elle s'installe dans le siège de la vieille auto, Salah la regarde fixement en s'empêchant de rire devant son air si sérieux.

« Tu es une drôle de fille, toi ! Tu sais que l'école est fermée ? remarque-t-il.

— Oui, mais je dois y aller, c'est tout, répond Noura.

— Comme tu voudras », dit Salah en démarrant.

Au village, Bahia a alerté tout le monde. Noura, sa Noura a disparu. D'abord son mari, et maintenant sa fille !

Bahia pleure et se lamente pendant que Mamillia berce Amel sans rien dire. La cabane, la haie derrière l'enclos, Sami a fouillé toutes les cachettes, comme sa mère le lui a demandé. Il regarde la route vers la ville et croit savoir où sa sœur est allée.

chapitre 6

Noura s'est assise sur les marches devant l'école fermée.

« Noura, viens... Je te raccompagne chez toi, maintenant, dit Salah.

— Non ! Jamais ! Pas avant d'être inscrite à l'école.

— C'est donc ça ? » murmure Salah.

Il s'assoit près de la petite fille.

« Je sais qu'il y a des gens, en ville. Ils aident les enfants pauvres à aller à l'école.

— L'école, c'est pour tout le monde ! J'ai le droit d'y aller, je veux être médecin ! » s'écrie Noura en se levant. Elle tambourine à la porte de toutes ses forces en sanglotant.

« Qu'est-ce que c'est ? » crie un homme en ouvrant un volet.

Salah excuse Noura, il raconte qu'elle veut s'inscrire à l'école et que c'est pour ça qu'elle frappe si fort.

Alors, l'homme sort et regarde l'enfant qui ravale ses larmes en lui faisant face.

« Tu t'appelles Noura, c'est ça ? C'est un beau prénom, Noura, "celle qui rayonne de lumière"... Et tu veux aller à l'école ? demande l'homme.

— Oui monsieur », répond Noura, et elle ajoute d'un trait : « Ce n'est pas parce que mes parents sont trop pauvres qu'on va m'empêcher d'y aller, j'ai le droit d'aller à l'école !

— Tu as l'air bien décidée ! Je suis le nouvel instituteur, j'habite ici en attendant de trouver un logement. Je peux peut-être t'aider... Accompagne-moi chez tes parents. »

Sur le chemin du retour, Noura noie l'instituteur sous un flot de paroles. Elle lui explique pourquoi elle veut être docteur, elle lui parle de sa mère qui ne sait pas lire, et de son père qui a disparu, et de Sami...

Sami, qui court sur la route du bourg à la recherche de sa sœur... Noura crie : « Stop ! », et Sami monte dans la voiture : « Je savais que je te retrouverais ! »

Son visage est tout rouge d'avoir couru sous le soleil. Il finit la gourde d'eau de Noura en s'aspergeant la nuque et en éclaboussant sa sœur en riant.

Bahia a explosé de colère et de joie en voyant sa fille revenir.

« Noura ! Noura ? Ma petite, ma toute petite... » a-t-elle articulé en la serrant très fort contre elle.

Noura a senti l'odeur de sa mère. Il y avait longtemps qu'elle ne l'avait pas embrassée comme ça.

L'instituteur va essayer de tout arranger. Il contactera ces gens, à la ville, qui s'occupent de donner aux enfants les moyens d'aller à l'école.

« Tu as raison, Noura, l'école est un droit. Tu iras, je te le promets. On se revoit en septembre ! » dit-il en remontant dans la voiture brinquebalante de Salah.

« Salut, Noura ! crie Salah en remettant le moteur en marche. Toi, tu seras médecin, et moi, c'est décidé : je serai chauffeur de taxi ! »

Il klaxonne deux fois en accélérant. Noura rit et le salue de la main. La nuit tombe. Elle n'a ni déjeuné, ni goûté, mais elle n'a pas faim. C'est à son père qu'elle voudrait raconter sa journée, mais son père n'est pas là.

chapitre 7

Pendant trois jours encore, la chaise de Moussa reste vide. Et, de soir en soir, le cœur de Noura, si léger de savoir qu'elle va aller à l'école, se serre pourtant. Elle ne chante plus, elle berce Amel qui est très agitée. Sami remplace leur père. Il donne à manger aux bêtes, il va chercher de l'eau au puits et sarcle la terre si sèche. Le soir, il s'écroule dans son lit et s'endort aussitôt. Il est trop fatigué, il n'a plus le temps de parler avec sa sœur.

Noura le regarde dormir. Elle fixe le plafond blanc au-dessus d'elle, la lumière de la lune y dessine un quadrillage qui bouge avec le vent. Le plafond, la lune, le vent. Des milliers de tabliers bleus volent dans le ciel. Elle essaie d'en attraper un, elle n'y arrive pas, il y a trop de poussière et de sable, ce sable qui coule entre ses orteils et qu'elle doit égrener sans s'arrêter pour ne pas s'y enfoncer. Le ciel s'obscurcit, deux trous sombres s'y creusent et la regardent au fond des yeux. Un voile noir se plaque sur son visage, il l'étouffe... Noura se réveille en hurlant.

chapitre 8

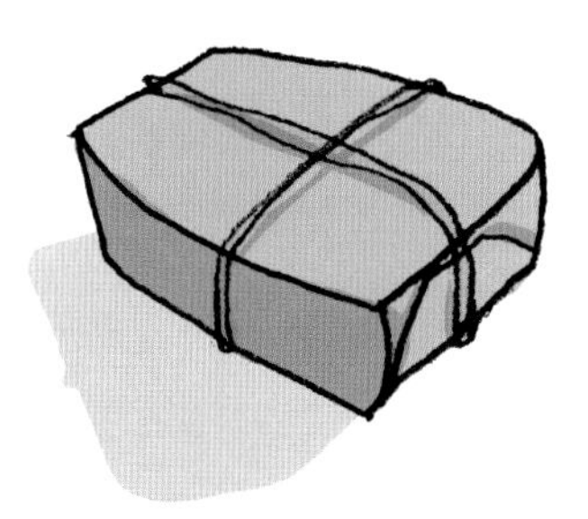

« Chut... Ne crie pas, Noura, c'est moi, c'est papa... »

Son père est là, il est revenu !

« Tiens, c'est pour toi, dit-il en lui tendant un paquet plat. Tu iras à l'école, Noura. Tu vois, je ne sais ni lire ni écrire, ta mère non plus. Mais vous, mes enfants, toi ma fille comme Sami mon fils, Amel et tous mes enfants à venir, vous irez à l'école. J'ai vu mon frère Mohammed, il me prête l'argent. Je lui fournirai la peau des moutons et des chèvres pour qu'il en fasse du cuir, on s'arrangera.

— Papa ! dit Noura en s'asseyant sur son lit. J'ai été à l'école, j'ai rencontré le nouvel instituteur et il va s'occuper de mon inscription, tu n'auras pas à sacrifier les bêtes.

— Noura... Tu n'y es pas allée seule, au moins ? demande son père.

— Si », répond Noura en baissant la tête.

Son père lève la main d'un air rageur et s'écrie :

« Quoi ? Jusqu'à Oum Jrane ? »

Sami râle dans son sommeil et se retourne.

« Oh, Noura... chuchote son père en l'embrassant sur le front. Décidément, tu feras toujours ce que tu voudras. Dors, maintenant... »

Son père sort de la chambre sans un bruit. Noura se demande si elle n'a pas tout rêvé, le sable, le voile noir et la venue de son père. Mais le paquet est là, dans ses bras. Elle le serre sur sa poitrine, l'ouvre, se lève et secoue son frère.

« Sami, Sami, réveille-toi ! »

Sami grommelle et ouvre un œil.

« Regarde, Sami ! »

Dans l'emballage de papier, la lune pâle éclaire un tablier bleu, un cartable de toile rouge, deux cahiers et une pochette de crayons de toutes les couleurs.